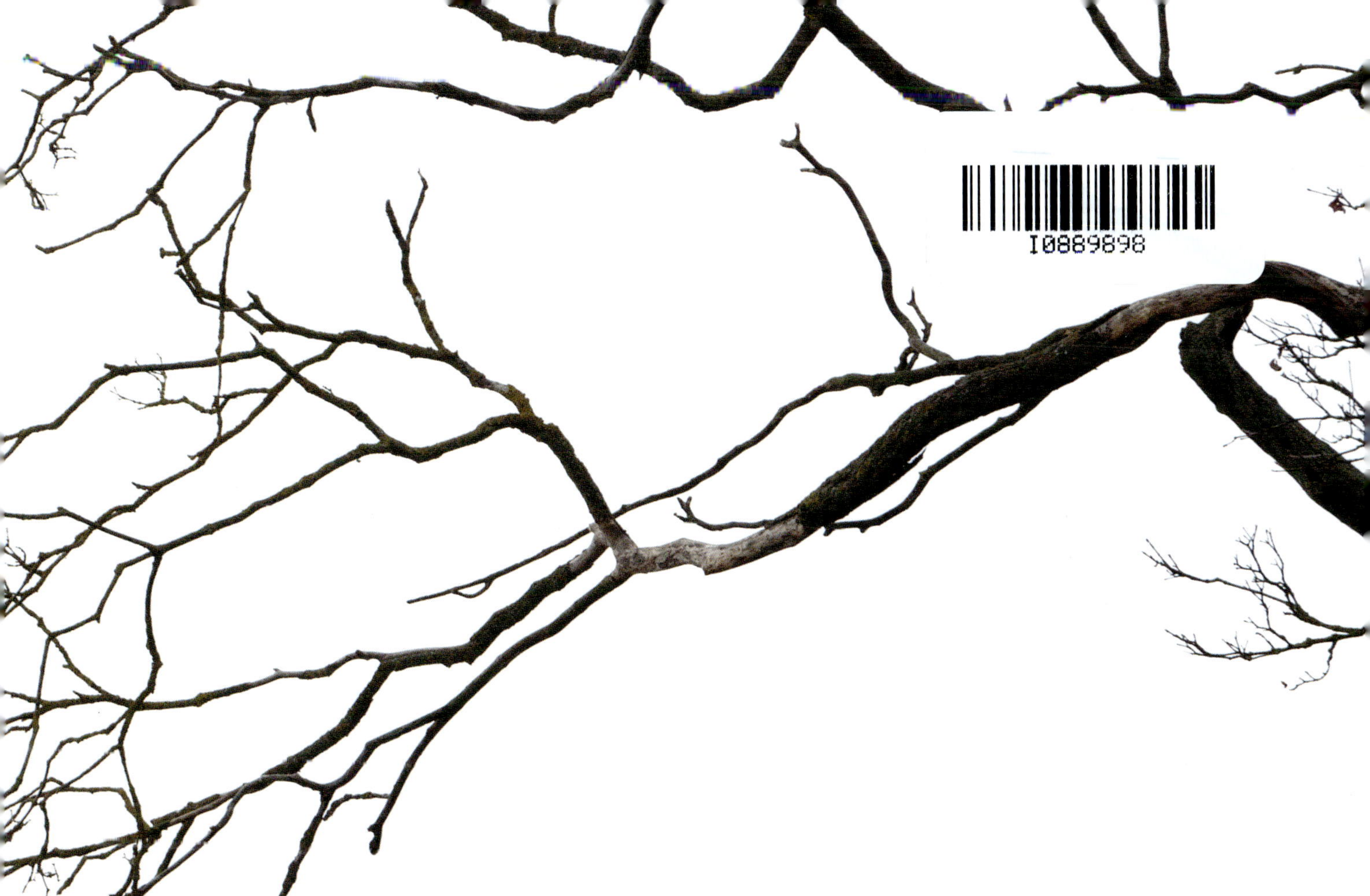

CONTENIDO

CONOCE A LA FAMILIA 4

Halcones peregrinos del paisaje urbano

LA VIDA COMIENZA 7

FAMILIA DESTACADA

Bienvenido al mundo 8

Primera comida 10

PRIMERAS AVENTURAS 13

FAMILIA DESTACADA

Cogiéndole el tranquillo 14

Pruébalo 16

LECCIONES DE LA VIDA 19

FAMILIA DESTACADA

Así se hace 20

La práctica hace al maestro 22

ESPERANZA PARA EL FUTURO 25

Instantáneas 28

Palabras para saber 30

Visita 32

Índice 32

CONOCE A LA FAMILIA

HALCONES PEREGRINOS

del paisaje urbano

Millones de personas viven en grandes ciudades de todo el mundo. Viven y trabajan en rascacielos. Se enfrentan a atascos de tráfico y practican deportes de fin de semana en parques urbanos. Estos urbanitas comparten espacio con todo tipo de fauna. Las ardillas corretean de una valla a otro árbol. Los conejos y los mapaches visitan los jardines de los patios traseros. Las palomas se agolpan en las esquinas. Los estorninos anidan bajo los aleros de los edificios. Hoy en día, los halcones peregrinos también son habitantes urbanos. Anidan en lo alto de los rascacielos y bajo los puentes altos. Se encuentran en ciudades desde Seattle a Boston, desde Londres (Inglaterra) a Roma (Italia), y mucho más allá.

En Nueva York, una pareja de halcones peregrinos anida en primavera en un saliente bajo un puente que cruza el río Hudson. Es su segundo año en el mismo lugar. Por turnos, uno caza mientras su compañero **incuba** los tres huevos que descansan allí. En cualquier momento nacerán los **polluelos** de los halcones.

PRIMER PLANO

Diente de huevo

El **diente de huevo** de una cría de halcón no es un diente de verdad. Se trata de un crecimiento en el pico del polluelo que le sirve para salir del huevo. Varias semanas después de salir del huevo, el diente se cae.

CAPÍTULO UNO

LA VIDA COMIENZA

La familia de los halcones incluye más de 60 especies. Estas **especies** se dividen en algunos grupos, no todos llamados halcones. Algunas se conocen como caracaras y cernícalos. También forman parte de la familia de los halcones los halconetes, los alcotanes y el halcón gerifalte.

Los halcones viven en todos los continentes menos en la Antártida. Algunas especies viven en bosques densos. Otras viven en desiertos, humedales o regiones de alta montaña. Todos los halcones son **rapaces**. Comen carne, incluidas otras aves, roedores, peces e insectos.

Los halcones también son presas. Les cazan búhos y otras aves rapaces. Los grandes felinos y los zorros son enemigos de los halcones. Pero los adultos fuertes no suelen ser el objetivo. Los **depredadores** atacan primero a los halcones pequeños, débiles o jóvenes.

En casi todas las especies de halcones, la coloración de machos y hembras suele ser marrón o gris oscuro con partes inferiores más claras. Pero, como la mayoría de las rapaces, las hembras son ligeramente más grandes. El tamaño

HITOS DEL HALCÓN PEREGRINO

2 DÍAS

- Completa el picado, sin cáscara
- Peso: 42,5 gramos (1,5 onzas)

6 DÍAS

- Los padres se turnan para traer la comida
- Peso: 85 gramos (3 onzas)

de los halcones varía según la especie. Pueden medir sólo unos centímetros (pulgadas) o hasta 0,6 metros (2 pies). El peso de un halcón puede oscilar entre unos pocos gramos (onzas) y 1,8 kilogramos (4 libras).

Una vez que se independizan, los halcones establecen sus propios territorios. Algunas especies se esfuerzan por defender estos espacios de caza de otros de su especie. En cambio, son más suaves con las aves de otras especies. La mayoría de los halcones se aparean de por vida con la misma pareja. Entonces, defender el territorio significa también defender la zona de nidificación. Si uno de los miembros de la pareja muere, el otro encuentra una nueva pareja.

PRIMER PLANO

Coloración

La mayoría de los halcones tienen el **plumaje** marrón o gris oscuro en el dorso, con las partes inferiores blancas o más claras. Los halcones juveniles tienen un color similar al de los adultos, con muchas vetas en las partes inferiores. El plumaje de los halcones peregrinos es más gris azulado que marrón.

Los halcones construyen nidos distintos a los de la mayoría de las aves. Cuando una madre halcón prepara su nido, lo hace de forma sencilla. No lleva ramas ni ramitas al lugar donde anidará. Se tumba y empuja hacia atrás con

FAMILIA DESTACADA

Bienvenido al mundo

Bajo el puente hay un saliente metálico donde se encuentra el nido de los halcones peregrinos. En el nido, sobre los escombros de la cornisa, hay tres huevos moteados de color marrón rojizo. Una hembra de halcón vigila los huevos. Los revuelve y los empuja para que los polluelos se desarrollen correctamente. Un día de primavera, un pequeño agujero aparece en un huevo y luego en los otros. Cada polluelo utiliza su diente para romper la cáscara. Mientras luchan, su madre permanece cerca. Les pía para animarles. En dos días, los polluelos escapan. Ahora les espera un nuevo mundo.

una pata. Esto crea una hendidura poco profunda en los guijarros o la grava. Este es su nido. Muchos halcones, como los halcones peregrinos, anidan en salientes rocosos u otros lugares elevados sobre el suelo. Algunas especies anidan en huecos de árboles. A veces, los halcones simplemente se apoderan de los nidos abandonados de otras aves.

Los polluelos de halcón se llaman eyases. Vienen al mundo indefensos. Pasarán semanas antes de que los eyases **emplumen**. Hasta entonces, sus padres los cuidan. Se turnan para llevar comida al nido. Trabajan a tiempo completo para mantener con vida a sus crías.

(2) SEMANAS

- Se le ha caído el diente del huevo
- Los padres siguen trayendo comida
- Se le deja solo durante periodos prolongados

PRIMER PLANO

Parche de cría

Para ayudar a mantener sus huevos calientes, los halcones incubadores desarrollan un parche de cría. Esta zona sin plumas del vientre de la hembra tiene la piel engrosada y un mayor flujo sanguíneo. Esto transmite calor a los huevos. Los halcones peregrinos machos también desarrollan manchas de cría, pero son menos pronunciadas.

FAMILIA DESTACADA

Primera comida

Los tres halcones peregrinos acaban de salir del cascarón. Cubiertas de plumas de plumón, las crías parecen bolitas de pelusa blanca. Sus patas son torpes y grandes en comparación con sus cuerpos. Y tienen hambre. Antes de nacer, sus padres compartían las tareas de incubación. Uno mantenía los huevos calientes mientras el otro cazaba. Pero ahora los padres se turnan para cazar y alimentar a sus polluelos. Vuelven al nido con trozos de carne. Con sus afilados picos, arrancan trozos de carne. Con cuidado, alimentan a sus pequeños ojuelos, que abren la boca y suplican.

Los polluelos de halcón vienen al mundo

INDEFENSOS.

Sus padres se turnan para llevar comida al nido.

3 SEMANAS

- Capaz de caminar
- Peso: 425 g (15 onzas)

5 SEMANAS

- Las plumas juveniles empiezan a sustituir a la pelusa.

PRIMER PLANO

Visión aguda

Los científicos creen que la vista de los halcones es unas ocho veces más aguda que la de los humanos. Pueden ver a sus presas a 3,2 kilómetros (2 millas) de distancia. Tienen dos párpados amarillos y un tercero transparente. Este párpado protege y humedece sus ojos, especialmente durante el vuelo.

CAPÍTULO DOS

PRIMERAS AVENTURAS

Las parejas de halcones se aparean y forman una familia una vez al año. Esto suele ocurrir entre finales del invierno y principios del verano. Durante esta época, hay más presas para alimentar a los adultos y a sus polluelos. La hembra suele poner de dos a cuatro huevos, a veces más. Los huevos eclosionan en unas cuatro o cinco semanas. Todos los eyases emergen más o menos al mismo tiempo, por lo que crecerán al mismo ritmo. Por ello, no habrá polluelos más pequeños y débiles que puedan morir a manos de sus hermanos.

Durante las dos o tres primeras semanas, uno de los progenitores cazará mientras el otro permanece sentado en el nido manteniendo a los polluelos calientes y protegidos. En sus primeros días, los polluelos son débiles. Ni siquiera pueden ponerse de pie. Corretean por el nido, llorando por comida. Tampoco pueden regular su propia temperatura corporal. Necesitan el calor y el cobijo del cuerpo de sus padres para mantenerse vivos. Esto es especialmente cierto por la noche.

6 SEMANAS

- Completamente emplumado
- Primeros intentos de volar

PRIMER PLANO

Dientes de tomial

Los halcones tienen una herramienta de caza especial, llamada dientes de tomial. No son dientes propiamente dichos. Son un par de muescas afiladas y dentadas a cada lado de la parte superior del pico. Cuando un halcón muerde a una presa, los dientes tomiales se clavan en su cuello y la matan.

FAMILIA DESTACADA

Cogiéndole el tranquillo

Durante varios días, los tres polluelos de halcón han estado practicando el salto alrededor del nido y el aleteo. Ahora tienen unas seis semanas. Todos han volado, o han empezado a volar. Pero apenas. No se alejan mucho del nido. Se posan en una cornisa cercana, graznando fuerte. Piden comida a sus padres. Los jóvenes halcones arrastran sus alas por la cornisa. Parecen inclinarse, tambalearse y casi caerse. Pero no tienen problemas. Es algo normal cuando se aprende a volar bien.

Los polluelos crecen rápidamente. Poco a poco, los padres los dejan solos durante periodos más largos. A las tres o cinco semanas, las plumas más duras empiezan a sustituir a la pelusa. Después de comer, los jóvenes halcones empiezan a acicalarse, utilizando el pico para limpiar y alisar las nuevas plumas. Exploran los alrededores del nido. También pasan mucho tiempo batiendo las alas y dando pequeños saltos. Son sus primeros intentos de vuelo. Y es un buen ejercicio para fortalecer las alas de los halcones. Pronto volarán.

(10) SEMANAS

- Capaz de cazar por sí solo

(15) SEMANAS

- Capaz de cuidar plenamente de sí mismo

PRIMER PLANO

Agachándose

Los halcones peregrinos son demonios de la velocidad. Cuando persiguen a su presa, pueden volar a 96,5 km (60 millas) por hora. Agacharse es el acto de descender en picado para atacar a su presa. Al agacharse, los halcones pueden alcanzar velocidades de hasta 386 km (240 millas) por hora.

FAMILIA  DESTACADA

Pruébalo

Uno de los halcones peregrinos ha emplumado recientemente. Sus alas se están fortaleciendo. Pero aún no es totalmente independiente. Sus habilidades de caza se están desarrollando. Está sentado en la rama de un pino del patio trasero, alerta y vigilante. Es pequeño. Muchos depredadores aún estarían ansiosos por comérselo. Pero él también es un depredador. Divisa un pequeño pinzón en una valla cercana y va a por él. Es rápido, pero el pájaro escapa. El joven peregrino choca accidentalmente contra la valla. Está ileso, pero aún tiene mucho que aprender sobre la caza.

ENTRE LAS TRES Y LAS CINCO SEMANAS DE EDAD,

comienzan a crecer plumas juveniles más duras, que sustituyen a la pelusa de los halcones jóvenes.

13 MESES

- Muda las plumas por primera vez
- Considerado adulto
- Peso: 0,5-1,6 kg (1-3,5 libras)
- Envergadura: 100-110 cm (39,4-43,3 pulgadas)

PRIMER PLANO

Las garras

Los halcones tienen cuatro garras largas y afiladas, llamadas garras. Tres están orientadas hacia delante y una hacia atrás. Los halcones suelen atrapar a otras aves en pleno vuelo. Las garras atraviesan las plumas de la presa y se agarran con fuerza. Enroscadas en forma de puño, las garras también pueden lanzar a la presa por los aires.

CAPÍTULO TRES

LECCIONES DE LA VIDA

La esperanza de vida de muchas especies de halcones salvajes es difícil de conocer. Algunas viven en bosques espesos o en zonas aisladas. En estos lugares es difícil seguir el rastro de las aves. Pero los halcones son algunas de las aves más longevas. Los halcones pequeños viven menos que los grandes, como los halcones peregrinos. Los halcones peregrinos pueden vivir hasta 15 años. Se sabe que el más pequeño de todos los halcones, el pigargo, vive unos ocho años. Las aves cautivas suelen vivir más que las salvajes.

El primer año de vida es el más peligroso para los halcones. Si los huevos no se rompen y los ojazos eclosionan, empieza la lucha. Aproximadamente 6 de cada 10 mueren antes de cumplir un año. El frío u otras fuerzas naturales pueden acabar con los polluelos. Pueden ser víctimas de búhos cornudos u otros depredadores. Pero si superan ese primer año, su suerte aumenta. Es mucho más probable que sobrevivan y formen sus propias familias.

Los halcones empluman a ritmos diferentes. Los cernícalos americanos abandonan sus nidos y comienzan a practicar el vuelo a las tres semanas. Los halcones gerifaltes empiezan a ensayar vuelos cortos a las cinco semanas. Los peregrinos salen del nido a las seis semanas, pero permanecen cerca de

(2) AÑOS

- Encuentra pareja
- Listo para anidar

sus padres. Los esmerejones son totalmente independientes a los tres meses. Independientemente de cuándo salgan del nido, estas jóvenes aves necesitan mucha práctica de vuelo.

Una vez que vuelan con éxito, los halcones jóvenes siguen a sus padres por el cielo. Observan a los adultos en acción, cazando presas en el aire. Esto les enseña a realizar sus propias cacerías. A diferencia de muchas rapaces, los halcones no utilizan sus garras para matar. Las garras sujetan a la presa. Los halcones matan con el pico y los dientes tomiales.

La capacidad de volar es **innata**. Pero los padres pueden darles sus propias lecciones. Vuelan a toda velocidad por el aire sujetando una presa capturada. El ave joven la sigue hasta que la alcanza. Si lo consigue, agarrará la presa de las garras de sus padres en pleno vuelo. Los adultos también pueden capturar presas sin matarlas. Luego sueltan la presa para que sus crías puedan matarla ellas mismas. Estos valiosos intercambios garantizan que los jóvenes halcones sean hábiles para afrontar el futuro.

FAMILIA DESTACADA

Así se hace

El halcón peregrino está mejorando sus habilidades de caza. Ya vuela bien. Pero hoy espera encaramado a la cornisa de un rascacielos. Su madre vuela cerca, sosteniendo un gran trozo de carne en el pico. El halcón vuela hacia ella, pidiendo comida. Su madre comparte. Pero el joven sigue hambriento. Se aleja en picado, con sus agudos ojos vigilantes. Pronto, un pequeño pájaro cantor llama su atención. Acelera y lo persigue a 96,5 km (60 millas) por hora. El pájaro más pequeño no tiene ninguna oportunidad. El halcón peregrino se está convirtiendo en un cazador superdotado.

PRIMER PLANO

Plumas

Las alas de los halcones suelen ser estrechas y puntiagudas. Algunas especies tienen alas ligeramente más redondeadas. Cada ala tiene 22 plumas principales. Las plumas de las patas, o penachos, se denominan banderas. La muda, el cambio de plumas viejas por nuevas, puede tardar meses en completarse.

(3) AÑOS

- Completamente adulto
- Las hembras ponen de dos a cuatro huevos cada primavera

PRIMER PLANO

Cetrería

La cetrería es un deporte con 4.000 años de antigüedad. Los cetreros entrenan halcones para cazar animales de caza, como conejos. En cetrería, los halcones también ayudan a controlar ratones y otras plagas. Los halcones peregrinos y los cernícalos americanos se adiestran fácilmente para este deporte. La estricta normativa estadounidense ayuda a proteger a estas aves.

FAMILIA  DESTACADA

La práctica hace al maestro

El halcón en crecimiento pasa volando por delante de la ciudad, a 64,3 km (40 millas) por hora. Se levanta viento y tiene hambre. Más abajo, un pato sale del río. El halcón pliega las alas hacia atrás y se zambulle, o se agacha, directamente hacia abajo. Se mueve a una velocidad vertiginosa que supera los 322 km (200 millas) por hora. Con las patas en forma de puño, golpea al pato. El pato cae, aturdido. El peregrino lo atrapa y lo mata con sus dientes tomiales. Su primer salto con éxito.

Para ayudar a sus crías a aprender a cazar,

HALCONES ADULTOS

les sueltan presas en el aire.

(15) AÑOS

Fin de la vida

CAPÍTULO CUATRO

ESPERANZA PARA EL FUTURO

Hoy en día, la mayoría de las especies de halcones no se consideran en peligro. Pero a principios de la década de 1970, la población de halcones norteamericanos estaba en grave declive. El halcón peregrino, en particular, se mantenía a duras penas. En todo el continente, su población había descendido misteriosamente. El halcón peregrino ya estaba **extinto** al este del río Misisipi. En 1975, sólo se contabilizaban 324 parejas de halcones peregrinos nidificantes. Los países europeos se enfrentaban a problemas similares.

Los científicos descubrieron que la causa era el DDT. El DDT es un pesticida, un producto que se rocía en los cultivos para matar a los insectos que se alimentan de ellos. Los halcones y otras aves se alimentaban de los animales que comían los insectos envenenados. Los cuerpos de las aves también se llenaron de DDT. Y no sólo se mataba a los halcones adultos. Debido a los pesticidas, las cáscaras de los huevos de los halcones eran demasiado finas y frágiles. Antes de que un polluelo pudiera desarrollarse en su interior, el huevo se derrumbaba. Se añadían muy pocos polluelos nuevos a la población de halcones.

Las amplias campañas de concienciación pública llamaron la atención de la gente sobre los peligros de los pesticidas. En 1972, el DDT se prohibió casi por completo en Norteamérica y gran parte de Europa. Gracias a estos esfuerzos, los halcones pronto empezaron a reaparecer. En 1999, el número de halcones peregrinos norteamericanos había aumentado a 1.650 ejemplares. Este éxito los retiró de la lista de especies en peligro de extinción.

Son buenas noticias, pero los halcones siguen enfrentándose a muchas amenazas. Los expertos creen que las rapaces como grupo están en declive. El mayor problema es la pérdida de hábitat. La gente se traslada al territorio de los halcones y se apodera de él. Al despejar la tierra para uso humano, las aves pierden lugares de nidificación y presas. El cambio climático supone otro peligro. El halcón gerifalte, por ejemplo, necesita un clima muy frío para sobrevivir. Si el clima ártico se calienta demasiado, desaparecerán. Muchos halcones también mueren de inanición o por colisiones con objetos fabricados por el hombre.

En la actualidad se están realizando importantes esfuerzos para aumentar las poblaciones de halcones en todo el mundo. El Peregrine Fund lidera los esfuerzos para evitar la extinción de las rapaces. Otro recurso es el National Park Trust. Su sitio web ofrece consejos a quienes quieran ayudar a mantener a salvo a los halcones. La cuidadosa cría de halcones en cautividad también está ayudando. Todo este trabajo es importante. Pero el primer paso para ayudar a sobrevivir a estas aves veloces y hermosas es tomar conciencia de los peligros a los que se enfrentan.

INSTANTÁNEAS

El **piralcón**, que se encuentra en el Ártico, es el halcón de mayor tamaño. Las hembras pesan alrededor de 1,8 kg (4 libras), mientras que los machos pesan algo menos.

El **cernícalo americano** es el halcón norteamericano más pequeño. No es más grande que un arrendajo azul y a veces se le llama gavilán.

La mayoría de las especies de halcones cazan a plena luz del día. Pero el amanecer y el atardecer son las horas de caza del **alcotán oriental**.

El **caracara de garganta roja** se alimenta de los nidos de avispas y abejas. No sufren picaduras porque producen un potente repelente de insectos.

La dieta del **caracara de cabeza amarilla** incluye garrapatas. Es una comida fácil. Las aves recogen sus presas de las espaldas del ganado.

Sólo los **caracara crestada** utilizan materiales para construir nidos, como palos y lianas. Los voluminosos nidos suelen construirse en palmeras.

El **halcón de los bosques con collar** aún no está en peligro. Pero la tala del cedro español, su árbol favorito para anidar, podría acarrearle problemas.

Los **halcones peregrinos de Cassini** son una rara subespecie que destaca por su color pálido. Sólo viven en la región patagónica de Sudamérica.

La mayoría de los halcones cazan solos. Pero las parejas de **halcones aplomados** trabajan juntas para ahuyentar y capturar aves pequeñas.

Los **halcones de Amur** migran un récord de 14.484 km (9.000 millas) sobre aguas abiertas. Vuelan desde Rusia y China hasta el este y el sur de África.

El **halcón neozelandés** recibe a veces el nombre de halcón codornicero o halcón de los arbustos. Nueva Zelanda es el único lugar donde vive.

Dos de los halcones más longevos conocidos fueron un **halcón peregrino** y un **caracara crestado**. Ambos vivieron al menos 22 años.

PALABRAS para saber

ave rapaz ave de presa, con un pico afilado y curvado y garras afiladas, llamadas garras

depredador animal que caza a otros animales

diente de huevo una pequeña perilla afilada en el lateral del pico de un ave que le ayuda a salir del huevo

emplumar tener los músculos y las plumas necesarias para volar

especie grupo de seres vivos que comparten características y son capaces de reproducirse entre sí

extinto ya no existe

innato presente desde el nacimiento

plumaje toda la cubierta plumosa de un ave

polluelo un ave recién eclosionada, demasiado joven para abandonar el nido

Visita

AUDUBON CENTER FOR BIRDS OF PREY

Ve halcones vivos y otras aves rapaces en una visita diurna, o apúntate al campamento de verano de rapaces.

1101 Audubon Way
Maitland, FL 32751

DEVIL'S COURTHOUSE

Sube a este espectacular mirador para tener la oportunidad de ver halcones peregrinos salvajes, que anidan en los acantilados circundantes.

Blue Ridge Parkway Milepost 422
Asheville, NC 28803

NATIONAL AVIARY

Ve la cámara de halcones peregrinos o sostén a Horus, el halcón Lanner, en tu mano enguantada.

700 Arch Street
Pittsburgh, PA 15212

WORLD CENTER FOR BIRDS OF PREY

Realiza visitas guiadas y asegúrate de asistir al espectáculo de aves Fall Flight para ver varios halcones vencejos en acción.

5668 West Flying Hawk Lane
Boise, ID 83709

ÍNDICE

alas, 14, 15, 16, 17, 21, 22
amenazas, 7, 19, 25-26
apareamiento, 8, 13, 19
aves rapaces, 7, 20, 26
captura de presas, 14, 16, 18, 20, 22, 23, 28, 29
cetrería, 22
coloración, 7, 8, 29
DDT, 25
depredadores, 7, 16, 19
dientes, 6, 8, 9, 14, 20, 22
dieta, 7, 10, 20, 22, 25, 28
eclosión, 4, 8, 10, 13, 19
encorvarse, 16, 22
eyases, 9, 10, 13, 19
garras, 18, 20
nidos, 4, 8, 9, 10, 11, 13, 14, 15, 19, 28, 29
plumas, 8, 10, 11, 13, 15, 17, 18, 21
tamaño, 7-8, 11, 13, 17, 21, 28
velocidades, 16, 20, 22
vuelo, 12, 13, 14, 15, 16, 18, 19, 20, 22, 29